매일 그림과 글을 쓰며

오늘을 완성한 시간

오늘을 완성한 시간

발　　행 | 2023 년 12 월 21 일
저　　자 | 이혜연
펴낸이 | 한건희
펴낸곳 | 주식회사 부크크
출판사등록 | 2014.07.15.(제 2014-16 호)
주　　소 | 서울특별시 금천구 가산디지털 1 로 119 SK 트윈타워 A 동 305 호
전　　화 | 1670-8316
이메일 | info@bookk.co.kr

ISBN | 979-11-410-6149-4

www.bookk.co.kr

당신을 위한 위로서

오늘을 완성한 시간

난나 이혜연 지음

부크크

차례

여는 말

괜찮아, 넌 잘하고 있어

살면서 우리는 많은 어려움과 역경을 만나게 됩니다. 어느 때는 하고 싶은 일과
해야 하는 일이 상충되어 하고 싶은 일보다 해야 하는 일에 끌려가는 삶을 살게
될 수도 있지요. 저 또한 오십이 되도록 해야 하는 일에 힘들어 하며 아득바득
오늘을 살아가는 사람이었습니다. 늦은 43 살에 첫째 아이를 낳고 연년생으로
둘째를 낳아 키우며 코로나를 독박육아로 보내야 했죠. 해야 할 일이 너무나
많았습니다. 늦은 출산을 하다 보니 첫째를 임신했을 때는 친정아버지의 치매로,
둘째를 임신했을 때는 엄마의 췌장암으로 힘든 과정에서 매주 엄마를 보기 위해
지방으로 내려가며 누구나 마지막이 있구나 하는 것을 체감할 수 있었습니다.
아이를 임신한 채로 버스에 타서 이 아이가 몇 살 때 나는 몇 살 이겠구나..하는
두려움도 있었고 건강하게 지내다 갑자기 췌장암이 발견돼 응급실을 오가는 친정
엄마를 보며 내가 없더라도 이 아이에게 마음을 전할 수 있는 방법이 뭐가 있을까
생각하게 됐습니다. 그러면서 자연스럽게 나는 어떻게 죽을 것인가라는 질문을
하게 됐고 내가 가장 하고 싶었던 것은 무엇이었으며 왜 지금껏 그걸 해보려
실천하지 않았을까를 생각했습니다. 처음 그림을 그리고 싶었을 때는 친정이
어려워 포기했습니다. 다시 시도하려 했을 때도 여전히 가장인 상태였기에 당장
돈이 안되는 그림은 포기하는 게 마땅했습니다. 마흔에 결혼하고서는 첫번째
아이가 유산되면서 우울증에 힘들었고 감사하게도 연년생 형제를 낳고 나서는
육아로 정신이 없었습니다. 게다가 둘째는 아토피가 심해 밤마다 잠을 안자고
울기를 반복 했었죠. 뉴스에 출산 후 우울증으로 뛰어내렸다는 이야기를 들을
때마다 그 마음이 이해가 가고 저 또한 그런 유혹을 느끼기도 했습니다. 그렇게
가까스로 이겨내고 나니 코로나가 왔고 세상은 빠르게 변했으며 지금은 핵개인의
시대라는 새로운 명칭으로 시대를 정의하기도 합니다. 그림을 전공하지 않았지만
매일 그림을 그리고 시와 에세이를 브런치와 인스타에 올렸습니다. 그림을 그린지
5 개월째에 인사동에서 전시 제의가 들어온 날을 잊지 못합니다. 연이어 아트
페어에 참석하고 1 년이 될 때쯤 혼자서 개인전을 했습니다. 팜플렛도 혼자 만들고
제 그림으로 가방도 만들었습니다. 어떤 것이든 처음 하는 일이었지만 제가 오
십년 동안 너무나 하고 싶은 일이었기에 기적 같고 꿈만 같았습니다. 다행히 많은
분들이 찾아 주시고 가방과 그림이 좋은 분들에게 가게 되어 행복했습니다.

우리는 항상 삶이 안전하길, 평온하길 바랍니다. 하지만 어떤 것도 성장없이는 살아갈 수 없습니다. 때로 우리는 스스로가 만들어 놓은 울타리를 뛰어넘을 필요가 있습니다. 그러다 수 없이 넘어질 때도 있겠지요. '내가 그럴 줄 알았어.''내 주제에 무슨...''지금처럼 살아도 아무 문제 없잖아.'라는 말로 다시 웅크리며 살아갈 수도 있겠지만 한 번 뿐인 삶이기에 자신이 진짜 하고 싶었던 일을 해보며 오늘을 살아도 괜찮다는 생각을 하게 됩니다. 시도하고 도전하면서 넘어질 때마다 **"괜찮아, 넌 잘 하고 있어."**라며 스스로를 응원하며 삶을 즐길 수도 있을 것입니다. 어렸을 때는 오십이 되면 중년이라는 말과 함께 도전이라는 것은 있을 수 없는 나이라고 생각했지만 막상 오십이 넘어보니 청춘 중에 이런 청춘이 없습니다. 그간 겪어온 세월도 있고 경험치도 있으니 무릎이 상하지 않는 범위에서 힘껏 뛰어 다시 날아보기에 이보다 좋은 나이도 없습니다. 스물이라면 무모하리만치 힘껏 뛰어봐도 좋을 것이고 서른이라면 자신을 제한하는 틀에서 벗어나 한번쯤 삶의 또다른 길로 뛰어들어봐도 좋을 것 같습니다. 그러다 보면 삶은 당신을 또다른 길로 인도해줄 것입니다. 그러니 오늘, 당신이 하고 싶었던 일에 과감히 뛰어들어 스스로를 완성하는 삶을 선택하시기를 응원드립니다.

나를 잃어버린 날

오늘, 우리는
화려하지만
지극히
누추하다

노란 후드를 입은 마리아

깊은 밤 꿈결에서도
너의 숨소리를 세곤 한다

쌕쌕하는 소리에
길게 팔을 뻗어
너의 이마
앙증맞은 네 뺨의 온도를 가늠해 보고

밤이 놀라지 않게
너의 꿈결이 흐트러지지 않게
가만히
가만히
토닥토닥

너를 품은 날부터
온 세상이 따뜻해졌다
차가운 밤도
포근해졌다

너는 나의 세상을 구원한
구원자

아이들을 키우다 보면 잠을 자면서도 숨결을 느끼게 된다. 쌕쌕거리거나 엇박자로 쉬는 숨부터 아주 미세하게 불편함을 느끼는 뒤척임까지 알 수 있다. 깊이 잠든 것 같은 때도 아이의 꿈결을 살핀다. 어제 새벽엔 비가 내리기 전의 후덥지근한 공기가 아이의 잠을 방해했는지 평소보다 더 뒤척거렸다. 손을 뻗어 아이의 몸을 만져보니 잘 때 입혀 둔 반팔티까지 모두 벗어 던지고 자고 있다. 선풍기를 약하게 회전시키고 손바닥만 한 아이의 배에 두툼한 내 손을 살포시 얹어 두었다. 어슴푸레한 빛들이 사랑스러운 아이의 볼에 살짝 얹히면 아름다운 아이의 평온한 얼굴이 희미하게 빛난다. 그 때 밀려드는 행복감이 있다. 고르게 들숨과 날숨을 쉬며 꿈길을 노니는 아이의 밤을 지키는 파수꾼이 된 것에 자랑스러움마저 느낄 때도 있다. 엄마는 너의 인생에서 달 같은 존재가 될 거야. 살다가 아무도 네 곁에 없다고 느껴질 때, 어둠 속에서 길을 잃었다고 느껴질 때, 괴로운 날들 중에 악몽에 시달릴 때도 너의 밤을 지키고 추워하는 네게 이불을 덮어줄 수 있는 사람이 될 거야. 무서운 꿈을 꾸는지 잔뜩 웅크리고 힘들어할 땐 뒤에서 포근히 안아 깊고 고른 숨으로 너를 안내할 거야. 엄마는 알고 있어. 이 밤을 지키고 어둠을 잘 지나오면 아침이 오고 너는 한 뼘 더 자라게 된다는 걸. 그리고 엄마의 작디작은 인생도 너를 만나 커다란 의미가 되었다는 걸 기억해 주렴.

그녀의 시선

시선이 내려앉은 곳
그곳에 나는 어떤 모습으로
서 있는 걸까

때때로 거울 속에서
낯선 어떤 사람을
마주하게 된다

좋은 사람
이기적인 사람
사나운, 그리고 외로운
내가

거울 밖에
서 있다

나는
누구 인가

"당신이 뭔가를 바라보는 방식을 바꾼다면
  바라보는 대상이 바뀔 것이다."   - 웨인 다이어

서울대 심리학과 최인철 교수님의 저서 <프레임>을 보면 "다른 사람의 행동이 그 사람의
내면이 아니라 바로 '나'라는 상황 때문에 기인한다는 깨달음을 갖는 것이 지혜와 인격의
핵심이다"라는 말이 나온다. 저 사람은 왜 저러지? 세상사람들은 다 왜 그렇게 행동하지?
하는 의문과 원망 너머에 자리잡고 있는 상대가 처한 상황을 헤아려보고 이해하려고
노력하는 편이 더 지혜롭게 세상을 바라볼 수 있는 기회가 될 수 있다는 것이다. 어렸을 때는
도저히 이해할 수 없었던 세상의 일들이 그간의 경험과 사건으로 내가 생각했던 것과 다른
면들이 있음을 알게 된다. 그래서 모든 사람들에게는 모두 다른 그들만의 역사가 있었으며
각자 서로의 경험치가 너무나 다름을 알게 된다. 치밀어 오르는 분노를, 이해못할 그의 모난
행동들에 대해 화가 나는 것을 잠시 미루고 한발 물러서서 보면 그 또한 자신의 상황에 대해
자신만의 방법으로 열심히 헤쳐 나가고 싶은 연약한 사람이라는 걸 알게 된다. 우리 각자는
상처받기 싫고, 이해 받고 존중받길 원하는 내 안의 아이가 있다. 그러니 아직 서툰
사람이라도 조금 더 기다려주는 여유를 서로에게 조금씩 베풀어준다면 서로에게 조금은 편한
상대가 되지 않을까 싶다.

어떤 소리

어떤 소리는
들리기 전에 먼저 보인다

늦가을 말라 떨어진 낙엽 위로 쏟아지는
초겨울 빗방울 소리처럼
당신의 한숨이
실망과 낙담이 되어
철커덩 철커덩 떨어지는
소리가 보인다

하지만
돌이켜보라

이 봄
그때의 낙엽이 썩지 않았다면
추운 겨울
나무는 얼마나 발이 시렸겠는가

꽃이 피는 소리가 들리지 않았다면
어찌 이 밤
창을 열어 매화향을
맡을 수 있었겠는가

어쩌면 인생은 농사를 짓는 일이 아닐까 생각해볼 때가 있다.
씨앗을 심을 시기엔 진중히 기다리며 열심히 물을 줘야 한다. 싹이 날것인지, 건강하게 자랄
것인지, 얼마나 많은 열매가 열릴 것인지 재촉하지 말고 묵묵히 믿음으로 시간을 쌓아야
한다. 그 마음이 껍질을 깨고 어두운 땅으로부터 새싹을 밀어 올리면 그때부터는 따뜻한
햇살을 공급해주어야 한다. 사랑해주고 감사한 마음을 계속 불어넣어주어야 한다. 가끔
바람이 불어 휘청거리더라도 다시 잎을 내고 꽃을 피울 것을 생각하고 바라다보면 어느새
한겨울 북풍한설에도 향기 진한 매화꽃이 피듯 모든 것들이 제때에 피어날 것이라고
생각한다. 흰 눈에서 더욱 붉은 동백꽃처럼, 봄의 꽃샘추위에도 병아리처럼 노랗게 무더기로
꽃을 피우는 유채처럼 모든 꽃들은 자신만의 때가 있다. 그러니 오늘 이 시간, 고대하던 일이
아직 일어나지 않았더라도 주어진 오늘을 최대한 즐기며 사는 것은 어떨까. 때는 그
기다림의 끝에 반드시 올 것이기에.

시선

무엇을 보는가
당신 눈에 담은
모든 것이
형상을 이루고
오늘의 풍경을
만들어 낸다

당신의 음성이
귀로 들어와
생각을 만들고
행동을 이루어 낸다

오늘, 당신은
무엇을 보고 있는가

무엇을 볼 것인가

모든 사물들은 빛과 그림자의 경계에서 형태를 만들어간다고 합니다.
동양의 음양사상과 1998 년에 개봉된 영화 메트릭스에서 인간이 현실과 가상현실의 구분을
알 수 없게 만든 컴퓨터 시스템도 0 과 1, 있음과 없음에 기인하고 있습니다. 생각해보면 이
세상이라는 것도 어쩌면 나라는 스위치로 켜지고 꺼지는 세계일 수도 있다는 엉뚱한 상상을
해볼 때가 있습니다. 내가 없다면 내게 전부라고 생각했던 이공간과 세계는 사라지고 마는
것이죠. 내가 보고 있는 시선 또한 하나의 프레임으로 수많은 것들 중에 내 시야에 들어온
한정된 정보일 뿐 그걸 둘러싼 더 많은 것들을 놓칠 수 있는 부분이 훨씬 많을 것 같다는
생각을 하게 됩니다. 그래서 우리는 어느 순간 앞으로 나아가지 못하는 함정에 빠져 있을 때
멀리서 이 상황을 조망할 수 있는 스스로의 조망대를 가슴 속에 세워 둘 필요가 있습니다

봄? 봄, 봄!

꽃잎은 하늘을 이고
잎새는 가지 끝을 깨웠다
이유 없이 돌아선 연인처럼
쌀쌀한 오늘에도 불구하고
봄은 기어코 왔다

때가 되었고
준비도 모두 마쳤으니
봄이 지천으로 펼쳐지는 걸
늦은 추위도
막을 수는 없다

헤어진 인연의 끝엔
언제나 새로운 인연이 오는 것처럼
차가운 바람 뒤로
따스한 햇살 꽃이 피는 것도
어쩔 수 없으리라

지금
봄은 여기저기 거기 모두에
이미 와 있다

겨울은 영원하지 않고,
봄은 자기 차례를 건너뛰지 않는다　　-핼 볼랜드

살을 에는 바람이 부는 겨울날 밖을 나가면 온 몸이 긴장으로 가득 차 이 겨울이 언제
끝나려고 이렇게 매섭나 불평이 나올 때가 있다. 하지만 그래봐야 일년에 3개월씩 사계절이
돌아간다. 매서운 바람도, 꽃이 만발한 봄도, 녹아내릴 듯한 여름도 모두 자기가 맡은 영역의
시간이 있다. 그 시간들을 서로 지켜줘야 벌이 꿀을 딸 수 있고 꽃은 열매를 맺을 수 있으며
사람은 가을걷이를 통해 겨울을 날 수 있다. 그런데 계절만 순환하고 변화하는 것이 아니다.
세상만물은 끊임없이 변한다. 어제 봤던 이가 오늘 그 마음이 바뀔 수도 있고 철천지 원수
같은 사람의 뒷모습에서 왈칵 눈물이 날 정도로 안쓰러운 그림자를 발견할 때도 있다.
"어떻게 사랑이 변하니? 라고 묻던 그 어리석음이 지나면 사람은 모두 변하며 나 또한 그
과정을 끊임없이 겪고 있음을 발견하게 된다. 그러니 오늘, 사랑하는 사람이 있다면 최대한
사랑해야 한다. 오늘 서로를 안아줘야 하고, 오늘 미안하다고 말해야 한다. 봄도 그 시간이
되면 끝나고 겨울은 언제나 제 시간에 오는 거니까.

노란 풍선

오늘의 기도
내일의 희망
지금 여기서
한 발자국 더

한 숨을 더해
손에 힘을 주고
새어 나가지 않게 묶어
이제 막 열린 하늘 가로
둥실 띄워보자

숨을 불고 불어
노란 풍선 가득 채우고
하늘이 알아차릴 수 있도록
높이 높이 날려보자

100을 얻고 싶으면 200을 준비하라.

고등학교 3학년 때 선생님이 해 주셨던 이 말은 살면서 어려움이 닥쳤을 때마다 이정표가
되 주었습니다. 입시라는 상황에 있을 때도 맞는 말씀이었지만 살다 보니 모든 일에 필요한
마음가짐이었습니다. '100도 채우기 어려운데 200을 어떻게 준비하란 말이야'하면서 시작도
전에 포기해버리고 싶을지도 모르겠습니다. 하지만 오히려 쉽게 200을 준비할 수 있는
방법도 있을 수 있습니다. **첫번째**는 아주 작은 것에 최선을 다해보는 습관을 들이는
것입니다. 누군가를 만날 때는 상대의 말에 최대한 경청을 하는 것도 그 하나입니다.
두번째는 매일 자신이 이루고 싶은 것을 하는 것입니다. 내가 하고 싶은 것을 한순간도
잊어버리지 않으면서 꾸준히 어제보다 한 발만 더 나아가다 보면 복리의 효과를 볼 수
있습니다.   **세번째**는 스스로 가장 약한 것을 채워가는 것입니다. 누구나 완벽한 사람은
없기에 능력밖에 있는 것도 있지만 하기 싫어서 시도조차 하지 않는 일도 있습니다. 저도
책을 출간할 때 자신이 없어서 자비로 출판사를 통해 하고 싶었지만 막상 혼자서 유튜브도
찾아보고 전화로도 물어보며 더듬더듬 하다 보니 어느새 혼자서 책을 낼 수 있었습니다.
완벽할 순 없겠지만 최선을 다한 오늘의 걸음이 내일의 좋은 자양분이 되지 않을까 싶습니다.
그러니 오늘 한 발 더 내딛어보는 하루가 되시길 응원합니다.

오늘, 우리는

너무 많은 내가
마치 나인 것처럼
오늘을
살아간다

화장을 했고
직함이 있으며
누구 누구라고
불리어지는
나는
누구인가

오늘, 우리는
화려하지만
지극히
누추하다

오십이 된 지금까지도 가장 무서웠던 이야기가 있다.
마당에 무심코 버린 내 손톱을 먹은 생쥐가 나로 분신을 해서 내 행세를 한다는 이야기다.
손톱이란 무엇일까?
내가 흘리고 다니는 내 과오 들일 것이다.
때때로 하는 험담, 위로를 가장한 과시, 선함을 방패로 하는 거짓말, 그리고 사랑하지
않음...그걸 먹은 생쥐가 나로 살아가는 세상에서 진짜 나라는 것을
어떻게 증명해야 하는 걸까?
어렸을 때는 단순히 그런 괴물이 나 대신 엄마를 차지할까 무서웠고 지금의 나는 내가
흘리고 다닌 수많은 실수와 잘못들이 다시 돌고 돌아 지금의 나에게 와서
내 행세를 할까 봐 두렵다.
그보다 더 두려운 건
이전의 나와
지금의 나는 다른가...라는
스스로를 향한 질문이다.

나는 정말
나 답게 살고 있는가?
정말 더 이상
손톱을 흘리고 다니진 않는가?

인생이란 자기를 알아가는 정점을 향해서
경이로운 여행을 이어가는 것이다.

-                -알렌 코헨

길이 내게 왔다

생애 단 며칠
기다림의 끝에서 만나는
찰나의 순간 속에서

질문

길 가에 피어난 들꽃을 보다가
마음속 질문 하나
파문을 일으킨다

너는 누구니
어떻게 피어났니
무얼 위해 이렇게 거친 곳에
꽃을 피웠니

그랬더니 꽃도 내게 묻는다

너는 누구니
무엇을 보고 있니
무얼 위해 그렇게
바쁘게 살고 있니

꽃은 답이 없었다
여전히 아름다웠고
봄바람에 춤을 추며
굳건히 땅 위에 서 있었다

이 봄 바람에 흔들린 건
누구였던가

책을 반납할 겸 도서관에 가서 그림책과 다른 책들을 대여해서 왔습니다.
여전히 봄바람이 차갑게 느껴져서인지 도서관 안에는 꽤 많은 아이들이 엎드려서 혹은
앉아서 책을 읽고 있었습니다. 도서관에서 대여하는 그림책은 아이들에게 읽힐 생각으로
보기도 하지만 저 또한 한 권의 철학책만큼의 감동을 받을 때가 많습니다. 그리고 저녁마다
아이들에게 책을 읽어줄 때 빠뜨리지 않고 항상 하는 게 있습니다. "네 생각은 뭐야?"라는
말과 함께 다양한 질문들을 하는 것입니다. 거인의 노트에서도 책의 좋은 구절을 그냥 읽거나
필사하는 것은 읽은 것이 아니며 자신의 생각이 첨부되어 재해석되지 않는다면 독서의
의미가 줄어들 거란 말도 있습니다. 세계의 석학들 중 다수를 차지하는 유대인들도 질문하지
않는 독서와 삶은 제대로 된 읽기가 될 수 없음을 여러 번 강조하곤 하죠. 그래서 항상
너라면 어떨 거 같아? 너는 그럴 때 어떻게 해결하고 싶어? 라는 질문을 통해 아이들의
생각을 묻는 걸 생활화하려고 노력합니다. 질문에 답이 있을 때도 혹은 장난처럼 그냥 넘길
때도 있지만 그래도 항상 질문을 통해 새로운 생각을 모색할 수 있는 기회를 갖게 해주는 걸
잊지 않으려 노력합니다.

봄 햇살 같은

보드라운 노란 웃음
수줍은 연분홍 인사
작은 눈 맞춤에도 출렁이는
수양버들 가슴

봄 햇살 같은 너와
걸어가는
따스한 날들

어제의 낡은 것들에도
새살이 돋아나는
이 봄

따스한 너에게서
봄 향기가 진하다

어렸을 때는 마음을 주고 받았던 사람들과 헤어질 수 있을 수 있다는 사실만으로도 눈물이
나고 두려웠었다. 좋아하는 이들과 보낸 아름다운 시간들이 끈끈하면 끈끈할수록 이별은
상상도 못할 큰 재앙으로만 느껴졌었다. 하지만 계절이 바뀌 듯 인생에도 만남과 헤어짐이
주기적으로 찾아올 수밖에 없음을 이제는 안다. 어느 인연이든 만남이 있으면 헤어짐도
자연스러운 것이라는 걸 이 봄, 다시 느끼게 된다. 순백의 고요한 겨울이 지나면 땅에서부터
용솟음치는 생명력으로 빵빠레를 울리듯 봄이 오고, 푸른 녹음 위로 폭포수처럼 쏟아지던
매미의 사랑 노래가 끝나면 모든 것들이 제자리로 돌아가는 가을이 오듯이 인생에서의
만남과 이별도 자신이 와야 하는 때에 적확히 온다는 것을 새삼스레 깨닫게 되는 날들이다.
그러니 오늘, 봄 같은 인연이 찾아왔다면 하루하루 더 세심하게 온 마음을 다해서 웃어
주시길.
한 번 더 그의 아름다움을 칭송하고 고요히 눈 맞춰 주시길 기도합니다.

화장을 하고

굵은 아이라인을 그리고
분홍빛 사랑스러운 입술을 그린다
그라데이션 한 눈두덩이가 빛나고
한 가닥 한 가닥 무거운 속눈썹을 달면
눈도 무거워 굵은 한숨을 토해낸다

덕분에 가벼운 눈동자가 쑥 들어가
고혹한 눈빛을 만든다

나를 알아보면
안 돼요
다른 여자가 될 거야

전쟁터에서 총알을 넣듯
귓불에서 달랑거리는 귀걸이를 걸면
전투준비 끝

발끝에 힘을 주고
엉덩이와 기립근들을 잔뜩 긴장시킨 후
세상 속으로 출발

민낯을 드러내도 괜찮아

결혼을 하면 달라지는 것들이 무수히 많다. 마음가짐부터 생활패턴의 조율, 밥 먹는 것,
치약을 짜는 스타일, 인간관계와 가치관의 변화까지 삶의 한부분에서 지각변동 같은 큰
변화를 감내해야만 한다. 그 중의 하나가 나의 민낯이 숨길 수없이 다 드러난다는 부분이
있다. 외모적인 민낯보다 더 괴로운 건 아직 덜 자란 내 안의 작은 아이를 보여주게 된다는
것이다. 작은 일에도 욱하는 모습, 도대체 상대를 이해못하겠다는 잦은 한숨, 내가 맞고 너는
틀리다는 강한 프레임을 간직한 채 얼룩덜룩 때가 낀 모습의 민낯을 상대에게 들키는 날에는
싸움이 나기도 하고 후회를 할 만한 실수를 하기도 한다. 그런데 그런 과정들을 서로
보듬어주지 않으면 성장할 수가 없다. 그렇다고 언제까지 가면을 쓰며 좋은 사람으로 가장을
한다면 그 또한 새로운 문제를 일으킬 수 있다. 심리학에서는 인지의 중요성을 많이
이야기하는데 지금의 나를 솔직히 인정하는데서 부터 사람의 성장이 일어난다는 것이다.
그러니 자신을 꽁꽁 싸매고 감추어 숨기지 말고, 모난 것도 서로 보듬어주고 부족한 부분은
서로 조금씩 채워주며 그렇게 넓고 깊게 함께 성장해가요.

그대 휴식

하고 픈 말들이 많아
하나 둘
고르다 보면
결국 남는 건
작은 침묵 하나
조용한 웃음
한 스푼

들려줄 이야기를 담아
그대 앞에 시간을 깔고
서로의 풍경을 바라보면
어느새 침묵의 말들이
다리가 되어준다

그저 바라봄으로
그대 휴식 한 켠에
서 있고 싶다

나를 바라봅니다.

어렸을 때 누군가 어색한 사람이 있으면 잠시의 침묵도 두려움으로 다가오곤 했다. 아무
말없이 허공을 떠도는 눈동자를 감당할 자신이 없어질 때는 평소와 다른 과장된 말들과
제스처로 상황을 모면하기 위해 진땀을 흘리곤 했었다. 두 사람이 앉아 말없이 서로를 바라볼
수 있다는 것은 얼마나 대단한 일인가. 그 안에는 서로의 축적된 시간이 있고 상대에 대한
믿음이 투영되어 있다. 그런 사람과의 만남은 언제나 살아갈 힘이 된다. 하지만 나는 나이가
들면서 그런 관계가 점점 더 어려워지고 있다는 것을 느낀다. 삶의 변주곡에 이리저리
휩쓸리다 보면 인간관계도 협소해지고 단일화되어 간다는 것을 느낀다. 그럴 때 만나야 하는
것은 '내 안의 나'이다. 아무리 좋은 사람도 내 안의 나에게 응원 받고 위로 받는 것만큼 삶을
풍요롭게 만들 수는 없다. 그러니 언제든 내 안의 나에게서 위로를 받을 수 있게 하루에
한번쯤은 내 속의 작은 아이와 눈 맞추며 안부를 물어 주시길.

준비

깊이 들이마시고
바닥이 드러날 정도로
깊게 숨을 내쉬어보자

긴장한 미간을
부드럽게 풀고
어깨의 무거운 짐
슬며시 내려놓자

밀려드는 향기를 따라
마음도 흘러가도록
빗장을 풀자

이제
준비는 끝났다

준비된 시간

갇혀있던 긴 시간이 끝났는지 요즘은 여기저기에서 모임과 축제가 많아졌습니다.
겨울에 가뭄이 든 것처럼 춥고 메말랐던 펜데믹이 끝나고 움츠리고 굳어져 있던 마스크 뒤의
얼굴이 민 낯으로 세상에 나오는 시간이 되었습니다. 가려진 것은 코와 입만이 아니었을
겁니다. 서로를 향한 표정과 마음, 그리고 관계가 단절되어 있던 춥고 긴 날들이었습니다.
새로운 봄이 너무 더디게 왔고 긴 시간 동안 많은 것들에 변화를 만들어 낯선 세상이
되었습니다. 가려진 표정 뒤로 숨겼던 자신을 있는 그대로 보인다는 건 커다란 모험과 도전이
되겠지요. 그래도 미간에 힘을 풀고 입 꼬리 살짝 올리며 새로운 날들을 맞이할 준비를
해야겠습니다. 멀어진 만큼 다시 다가서는 연습이 필요한 때입니다.

모든 날, 모든 순간

차갑게 언 땅에
뿌리를 깊게 박고서
작은 햇살에 몸을 녹여
꽃을 피워냈지

아직 밤은 춥고
새벽은 시린 날들
여린 햇살에 순한 꽃잎을 피워낸 날들 중에
모든 날, 모든 순간이
기쁨 뿐이었을까

생애 단 며칠
기다림의 끝에서 만나는
찰나의 순간 속에서
아름답게 피워낸 날들이 있었으므로
오늘을
슬픔 따위로
후회하지 않으리라

인간은 자신의 행복의 창조자다
        -헨리 데이비드 소로

행복은 결과가 아니라 과정이라는 말이 있습니다. 우리는 무엇을 가졌는지, 유명한 곳에서
어떤 걸 먹었는지, 어떤 숙소에 머물렀는지 하는 것들을 서로에게 알리며 그걸 갖지 못한
것에 대해 좌절하고 우울해하며 때로 시샘과 질투로 자신을 아프게 하기도 합니다. 하지만
그것을 억지로 채운다고 과연 우리가 바라는 행복의 상태가 될 수 있을까요. 일시적 만족이
있겠지만 진짜 자신이 원하던 일이 아니라면 잠깐의 허기만 채울 뿐 더 큰 공허만 낳을 수도
있습니다. 행복은 스스로 만족할 수 있는 것에서 출발하고 완성될 일인지도 모릅니다. 시작도
나에게서, 그 끝에 웃는 것도 나 자신이어야 우리는 행복하다고 말할 수 있을 것입니다.
누군가에게 건네는 작은 감사의 말, 진중한 눈맞춤, 그리고 활짝 웃는 웃음에 행복의
씨앗들이 있습니다. 그리고 그건 우리 자신밖에 창조할 수 없는 것이기도 하죠. 그러니
오늘은 더 많이 웃으시고 더 많이 감사하는 날이 되시길 기도합니다.

소식

고대하는 마음
한 자 한자 적어
설레임을 부쳐
기다림 우체통에 넣습니다

주소는
희망차군 이루어지리 337 번지

봄, 새가 울고
매화향이 밤을 적시면
딜곰한 소식 들러오겠죠

계절은 그렇게
다시 시작입니다

.

쌀쌀했던 날씨가 조금씩 더 따뜻해진다고 합니다.
봄은 고양이 발자국처럼 온다고 했던 시인의 말처럼
보드라운 땅속에서 새싹이 소식을 전하러 오는 것 같습니다.
화단에 심어 둔 라일락은 벌써 꽃봉우리가 통통하게 살이 오르고 있고 땅속에 박아 두듯
잊고 있던 히야신스도 푸른 싹을 살짝 비추고 있습니다.
매년 잊고 있다가도 봄이 되면 어김없이 꽃을 피워주는 히야신스를 보며 우리가 바라는
소망도 비슷하지 않을까 생각합니다. 바라는 것들은 자신의 때가 올 때까지 기다림을
동반하지요. 어두운 땅속에서 햇살의 양을 가늠하고 따뜻한 기운을 감지하며 바람의 강약을
느낍니다. 그러다 봄!!그 봄을 다시 즐기러 세상에 꽃대를 내밀고 환하게 피어납니다. 다시
시작하는 봄, 오래 기다리던 좋은 소식들로 한가득 꽃 피우시 길 기원합니다

그날 그날이 일생을 통해서
가장 좋은 날이라는 것을
마음 속 깊이 새겨두라

-에머슨

오늘의 우직한 한 걸음이

앞으로 든
뒤로 든
1%를 더하기 위해
오늘도 걷는다

산책

뭔가 다른 것들을 시도한다는 건
내 안의 불확실성과
허방을 짚는 두려움을
이겨내야 한다는 게 아닐까

불안한 마음을
이리저리 기대어봐도
결국은 이해 받지 못함으로
더 깊이 침잠하게 되는 때가 있다

그럴 때 하늘이 보이고
나무가 숨 쉬며
바람이 들고 나는 곳에
잠시 그늘을 빌려
나를 쉬게 하자

고요히 시간이 멈춘 그 지점에서
우리는 내 안의 나와 만날 수 있다
그리고, 다시
일어나 걸어가라

내 안의 내가 속삭이는 곳으로.

불확실에 답하며 길을 걷는다

새로운 일을 한다는 건 항상 수많은 불확실성과 대면하게 되는 것 같다. 그 과정에서 나를
사랑하는 주변분들의 조언을 듣게 된다. 확실히 성공할 수 있는거냐. 그게 얼마나 힘든
일인지 아느냐. 네가 그런 자리까지 올라갈 수 있다고 생각하느냐. 왜 안정적인 일을
그만두고 맨날 일만 벌이느냐. 사람이 살면서 어떻게 예측 가능한 일만 하고 살 수 있을까?
부딪히고 깨지더라도 그 속에서 분명 삶이 주는 메시지가 있다고 생각한다. 옆지기는 항상
성공확률에 대해 물어보면서 내가 얼마나 불확실한 일에 매달리고 있는지 주지 시키곤 한다.
하지만 내가 생각할 때 인생에서 확실한 건 아무것도 없다는 것이다. 일등 하면 좋겠다 해도
막상 일등 자리에 앉기 무섭게 치고 올라오는 수많은 경쟁자들이 더 많아지는 결과만 생긴다.
내가 생각하는 인생에서 확실한 건 우리는 모두 언젠가 죽는다는 것이다. 그리고 그건 내가
알 수 없다는 것. 그래서 나는 가급적 내가 하고 싶은 일들을 고민하고 바로 시도해보려고
한다. 확률은 백프로로 잡는다. 그래서 성공하면 내 노력을 인정받는 것 같아 좋을 것이고
실패하면 미련 없이 돌아설 수 있을 것 같기 때문이다.

치장을 하고

마음이 우울한 날은
거울 속의 나도
누추해진다

생기가 빠진 곳에
반짝이는 무언가를 채우려
이것저것 빛나는 것들을 걸쳐봐도

보이는 모든 것들 중에
거울 속의 그이만
가장 초라하게 보인디면

하나 둘
풀어 두자

빛나는 모든 것들이
무거워진 날은
잠시 쉬어도 좋다

비우면 채워진다.

어릴 때부터 성격이 덜렁거려서 뭔가 고장을 잘 냈었다.
정말 손만 대면 물건이 깨지고 옷이 더러워지며 지퍼가 고장 났다.
그리고 뭔가 걸리적거리는 걸 별로 안 좋아했다. 반지, 목걸이, 팔찌 심지어 긴 머리도
걸리적거리면 신경이 온통 쓰여서 긴 머리를 유지할 수 없었다. 그런 이유로 결혼반지도
없다. 분명 안 낄게 뻔한데 괜히 모셔 둘 필요가 없을 것 같아 결혼할 때는 간단하게
커플링만 했다. 그 마저도 아이들 키우면서 걸리적거려 따로 보관해 두었다. 그래서 예물도
하지 않았다. 그러던 내가 얼마 전 동대문 부자재 시장에 갔다가 만 삼천원 짜리 반지 두
개를 사서 끼고 다니고 있는데 그걸 볼 때마다 너무 기분이 좋아진다. 초록색 네모 알 반지와
큐빅이 동그랗게 둘러싼 반지는 두툼하고 투박한 내 손을 반짝반짝 빛내 주고 있다.
신기한 게 그걸 보는 내 마음도 가끔씩 봄 처녀처럼 설렌다.
새로운 일들이 일어나려면 주위를 조금씩 변화시켜 보는 방법도 좋은 것 같다는 생각도
한다. 집을 치우고 안 쓰는 물건을 정리하고 못 입는 옷들은 나눔을 하는 것도 좋은 방법일
것 같다. 그렇게 정리하고 하고 나면 비워진 곳만큼 반짝반짝 눈부신 일들이 채워질 것 같은
예감이 들것이다.

당신과의 대화

귓가에서 들리는 당신의 아름다운 말은
종종 내게 와서
알 수 없는 기호가 된다

높낮이가 있는 암호처럼
읽을 수 없는
표지판처럼

당신의 말이 귓가에서 멀어져
저 만치로 흩어져가는 건 우리 서로
다른 곳을 보기 때문일까 아니면
서로 다른 세계이기 때문일까

조금 더 너의 소리를 듣고
깊숙이 너의 눈을 바라보자
작은 떨림도 들을 수 있게

기울인 각도만큼
마음도 기울 테니

나는 되도록 아이들에게 정답이라는 걸 말하지 않는다.
물론 질문에 아이가 답할 때도 '땡'이라거나 '틀렸어'라는 말을 삼간다. 엉뚱한 말을 해도 왜 그런 대답을 했는지 먼저 물어보려고 애쓴다. 아직 우리 아이는 다른 사람의 정의에 물들지 않았으면 좋겠다고 생각해서다. 대신 아이에게 나는 질문을 많이 하는 편이다. 아이에게 정답처럼 이야기하는 걸 최대한 지양하는 편이다. 내가 아는 지식이 전부인 양, 세상의 1 더하기 1 일이 2 라는 말만 허용되는 것처럼 내 아이의 세상을 그 안에 가둬버리는 게 아닐까 하는 우려에서다. 엄마의 정답은 낡은 길이 될 수도 있다. 물론 수많은 길들 중에 넓은 길임과 동시에 안전한 편에 속하는 길인 경우도 많을 것이다. 하지만 아이의 길이 아닐 수 있다. 아무리 좋은 길도 그 아이가 걷기 싫다면 그건 지옥길이다. 그리고 결정권을 엄마에게 넘기면 그건 엄마도 아이도 고생길이 될 수 있다. 항상 자신의 생각을 찾으려는 노력을 해야 한다. 내가 바라보는 세상에 대해 나는 요즘도 생각을 많이 하고 있다. 예전 일들을 반추해 보며 잘 못 했던 일들이나 오해했던 부분에 대해서도 곰곰 생각해 보면 섣부르게 내 해석이 앞선 때였던 경우가 많았다. 더 많이 들었다면, 좀 더 귀 기울였다면 어쩌면 나는 지난 시간들의 실수를 조금은 줄이며 살았을 수도 있었을 것이다. 또, 그 실수를 통해 다른 사람을 그렇게 아프게 하지 않았을 수도 있었을 것 같다. 그래서 지금은 기다림에 대해 더 연습하고 있는 중이다.

너를 보렴

슬픔은
네가 아니란다
터질 것 같은 기쁨 또한
너는 아니야

바람이 잠시
네 옷깃을 스치고
머리를 헝크린데도
너는 쓰러지지 않아

햇살이 너무 뜨겁고
온통 매서운 바람이 분대도
그 안에서 고요하게 자리 잡은
네 안의 너를 보렴

기다리면 오지 않는다

우리 마을에 버스가 다니기 시작한 때는 국민학교 3, 4학년 때였던 것 같다. 100여 가구가
살아서 신작로 입구에 구멍가게가 두 개 있었는데 여름이면 아이스박스에 아이스크림을
실어와 가게로 옮길 때 신작로 바닥에 떨어진 얼음을 동네 아이들이 서로 다투어 주워 먹곤
했다. 오일장이 서면 버스비 아끼려고 모두 이고지고 걸어가지 버스를 기다려 타는 사람은
드물었다. 그러다 집집마다 텔레비전이 들어오고 냉장고가 들어오면서 중학교 때쯤엔 버스를
타고 읍내를 가는 분들이 많아졌다. 한 시간에 한 대씩 다녔는데 간발의 차로 버스를 놓치면
꼼짝없이 지루함과 조급함을 동반한 기다림의 시간이 찾아왔다. 버스는 예정된, 약속된
시간에 오는데도 애타게 발을 동동 구르면 올 거라 생각하는지 굽이굽이 구불진 버스길을
하염없이 바라보곤 했었다. 지금이라면 핸드폰으로 검색해서 버스시간에 맞춰 나올 텐데 그땐
다시 놓칠까 봐, 버스가 나만 두고 좀 일찍 왔다 갈까 봐 어디도 못 가고 꼼짝없이
정류장에서 기다렸었다.
살다 보면 운명이나 정해진 길이 있나 싶은 마음이 들 때가 있다.
왜 나만, 왜 하필 지금, 조금 더 빨랐더라면, 조금만 기다려줬더라면 하는 마음으로 속을 끓일
때가 있다. 그런데 지나고 돌아보니 모두 제 때에 맞춰왔다는 걸 느낄 때가 많이 있다. 단지
앞선 걱정과 너무 이른 기다림이 나를 지치게 했을 뿐이란 걸 살면서 깨닫게 됐다.

고뇌

이 길을 갈 것인지
저 길로 걸어볼 것인지
어쩔 수 없으니
마냥 걷는 것인지

나도 나를 속이며
열심히 살다가

어느 고갯마루에 올라
뒤 돌아보면
앞의 길도 반이요
뒤에 밟히는 길도 아직
반이다

언제나
중간 언저리에서 허덕이는 날들
앞으로 든
뒤로 든
1%로를 더하기 위해
오늘도 걷는다

오십이 되면서 가끔 인생의 꼭대기에 서 있는 느낌이 들 때가 있다.
삼 십대, 사 십대 때의 나는 오십이 되면 뭔가 더 멀리 내다보며 이제는 쉽고 현명하게
무언가를 결정하며 나아갈 수 있을 줄 알았다. 많이 걸어온 만큼 여유 있게 사람에 대해,
삶에 대해 정의 내릴 줄 알게 될 줄 알았던 나이였는데 오십이 되도 똑같이 시작하는 일은
힘들고 나아가는 길도 찾기가 어렵다. 많이 걸어온 것 같았던 길도 돌아보면 지나온 길은
짧아지고 걸어야 할 길은 아직도 구만리 같은 마음이 든다. 그래서 가끔 힘이 빠지기도 한다.
하지만 그럴 때 필요한 건 낙담이 아니란 걸 이제는 알고 있다. 길은 걸으면서 나아갈 수
있고 때로 없던 길도 만들어 새로운 이정표를 세우며 만들어 가야 한다는 것을 하루하루
걸으며 깨닫게 됐다.

너를 보듯 나를 본다

홀로 걷는 산책길에 스치는 새소리
푸르게 닿는 바람
따스한 흙 내음

그 속으로
조금 더 들어가면
비로소
내 안의 나와
조우하게 된다

나는 너고
우리는 하나지만
조용히, 더 깊이 들어서야
나는 너를 볼 수 있다

내 안에 있는 이여
너의 목소리를 듣고
너를 안아
오늘을 충실히 살 것이다

희한하게 누구를 그리든 그 안에 제가 있습니다.
홀로 몇 시간을 집중하며 그리다 보면 주위의 소리도, 시끄럽게 울려 퍼지는 수많은 내 안의
생각들도 희미해집니다. 그런 시간에 온전히 나는 나와 만나게 됩니다. 하나지만 서로 고요히
바라볼 수 있는 타자가 되어 안부를 묻기도 합니다.
항상 바쁘게 정신없이 해야 할 일, 배워야 하는 것들이 숙제처럼 쌓인 시대에 살고 있지만
어쩌면 우리는 고요히 혼자 있는 시간이 가장 필요한 세대가 아닐까 하는 생각도 해봅니다.
언제나 뒤처지지 않기 위해, 생존해내기 위해 발버둥치며 지친 나날을 보낸 어제를 보냈지만
시간에, 세상에 뒤처지는 것보다 껍데기로 살아가는 것을 경계하게 되는 나이, 오십입니다.
사람의 수명이 백 년이라면 이제 반을 건너왔습니다. 그 중 20년은 정확히 내 삶을 살았다고
할 수 없습니다. 그렇다고 나머지 30년을 진정 나로서 살아왔다고도 장담할 수도 없죠. 거울
속의 내 안색을 살피고 매일 안부를 물어야 합니다. 언제나 함께 걸어가야 할 존재를 살뜰히
아껴주고 사랑해 주십시요. 그게 나머지 오 십년을 나 자신으로 당당히 살아갈 수 있도록
힘이 되어줄 것이라고 믿습니다.

유혹

괜찮겠지 라는 말은
불확실을 감추려는
마음의 게으름이다

해야 할 일을
하고 싶지 않다는
부정이 들어있다

괜찮겠지 하는 순간
모든 일들이
괜찮아지지 않는다

스스로를 부정하고
책임지지 않겠다는 말이
이미 그 안에 있다

유혹은 외부에서가 아니라
바로 내 안에서 일어난다

만일 욕망이 있다면
이룰 수 있는 능력도 있는 것이다
능력은 욕망과 함께 온다.　　　-나폴레온 힐

어렸을 때는 성공하려면 기회가 주어져야 한다고 생각했다. 그래서 늘 나를 이끌어줄
동앗줄이 하늘에서 내려오길 기다렸었다. 하지만 살다 보니 그건 현실을 인정하지 않는 나
자신이 만든 독사과일 뿐이라는 걸 느꼈다. 밥 프록터의 '부의 확신'에서는 '스스로 원하는
것을 만들고 욕망하라'라고 말하고 있다. 욕망은 오늘 걸은 한 걸음에서부터 시작이다.
무언가를 원하면 생각이 먼저가 아니라 행동이 우선이다. 욕망은 욕심의 발로가 아닌 손으로
발로 느껴지는 지각이 선행되어야 한다. 그러니 바람이 불면 주머니에서 손을 빼고 바람을
느껴보고 길가에 핀 꽃도 처음 본 것처럼 감탄하며 나 자신의 감각을 깨워 두어야 한다.

작은 기회로부터 종종
위대한 업적이 시작된다
-데몬스 테네스

결국은 나 스스로를
완성시킬 것이다

꽃은 언제든 가장 적당한
자신의 시간에
피어 난다

소식 2

바람결에도
설렌다

잠깐 스친 향기에도
너의 모습이 보여
돌아보게 된다

그렇게
시간을 뛰어서
빠르게 달려가는
마음을 잡고

너의 소식을
기다린다

학창시절 방학 때마다 시골집에 내려갔던 나는 시골생활이 무료해질 때는 친구들의 소식을
기다렸다. 휴대전화가 없었던 시절에 보고싶은 사람에겐 전화나 편지로 소식을 전했었는데
해가 조금 기운 오후에 우체부 아저씨의 오토바이 소리가 들리면 괜히 마음이 들뜨곤 했다.
스무 살 즈음엔 첫사랑이 지나가는 골목 어귀에서 그의 그림자를 기다렸다. 첫사랑은
이루어지지 않는다는 이야기가 보기 좋게 틀렸다는 걸 증명해보고 싶어 기다림에 많이
울었어도 기다리고 기다렸었다. 서른 살 즈음엔 삶이 녹록치 않음에 평안한 일상을 기대했다.
매번 시련에 담금질 당하는 것이 억울하기도 하고 힘들게만 느껴졌었다. 늦은 사십에 결혼을
하고 아이를 낳으면서 나는 아직도 내가 어른이 되지 못했음을 알았다. 나 자신을 아직
이해하지 못하고 있었으며 스스로를 감당하지 못하고 있음을 느꼈다. 아이에게 화를 내는 게
사실은 나 자신을 감당하지 못해 스스로를 어쩌지 못해 가장 약자에게 그 화살을 돌린다는
걸 깨달았다. 아이는 세상을 보는 눈을 통째로 바꿔 놓았고 그의 세계를 더 견고히 지켜주고
싶어 내가 더 나은 사람이 될 수 있기를 기도했다. 이제 오십, 아직 아이들이 어리지만 나는
내 삶의 변곡점에 서있다는 걸 느끼고 있다. 무엇을 할 것인가, 앞으로의 나는 어떤 사람으로
더 성장하길 원하는가. 이런 질문들이 문득문득 중년의 잠을 깨우곤 한다.

꽃이 핀다고 봄은 아니지만

밖은 어둡고
새벽의 칼날 같은 빛이
아직 땅을 데우지 못한 날 들에도
꽃은 핀다

마른 잔 가지에도
푸른 상록수에도
하얗게 빛나는 꽃들은
겨울을 환하게 밝히고 있다

개울 물소리에 피는 꽃도 있고
어름의 햇살반 기억하는 꽃도 있다
가을의 선들바람을 좋아하거나
겨울의 하얀 눈꽃을 머리에 이고 서야
피어나는 꽃이 있다

꽃은 언제든 가장 적당한
자신의 시간에
피어난다

어렸을 때 우리집 방문은 창호지 문이었다. 눈이 많은 시골마을이라 밤에 눈이 내리면
달빛에 눈이 오는 풍경이 흑백 영화처럼 고스란히 비치곤 했다. 하얀 눈 그림자가 나풀나풀
창호지 문에 어른거리며 날리는 밤엔 왠지 하늘나라 선녀님을 볼 수 있을 것만 같고
천사들의 노랫소리도 들리는 듯했었다. 자기 전에 다시 한번 문 그림자를 보면 전깃줄에
수북이 쌓인 눈이 하늘 길을 만들어 놓기도 했었다. 그런 겨울이 가고 나면 제일 먼저 계곡에
버들강아지의 보드라운 싹이 트고 거기에 작고 작은 노란 꽃이 수없이 피곤 했다. 꽃들은
모두 자기들의 시간에 맞추어 피고 진다. 꽃이 핀다고 다 봄은 아니지만 꽃이 있기에 어느
계절이든 아름다운 세상을 만끽할 수 있었다. 항상 메마르고 건조한 것 같은 우리 삶에도
그땐 몰랐지만 뒤돌아보면 아름다운 꽃이 피는 시기가 분명 있었다는 것을 알 수 있다. 다만
그때의 시련과 힘듦이 주변을 미처 돌아보지 못하게 시야를 막고 있었는지도 모른다. 내가
좋아하는 장미가 피지 않았다고 서운해하는 대신 주위에 지천으로 피고 지는 들꽃들에
감탄하고 기뻐할 줄 알게 된다면, 어쩌면 우리 삶이 더 풍요로워지지 않을까.

파문

무심코 던져진 돌은
호수에 깊은 파문을
만들었다

잔잔하고
오랜 아픔
얼룩진 슬픔과
흔들리며 조각난 그림자들이
물결 위로
한참을 일렁였다

바람은 파문을 지워냈지만
호수는 던져진 돌멩이를
가슴깊이 간직해야 했다

우리는 하루에 얼마나 많은 말들을 하고 사는 걸까? 아침에 일어나 저녁에 잠들 때까지
누군가에게는 인사를, 어떤 상황에서는 충고를, 다른 이에게는 위로를 건네며 말을 한다. 가장
편한 수단이자 가장 강력한 효과를 거둘 수 있는 것 중에 하나가 말이 아닐까 싶다. 사랑도
말로 표현하지 않을 때는 썸일 뿐이다. 말로 하지 않으면 오해를 사거나 관계가 틀어질 수도
있다. 하지만 반면 말 때문에 평생 그 말을 품고 아픔을 간직한 채 살아가는 사람도 있다.
가장 가까운 사람일수록 그 효과와 치명도는 크다. 가장 가깝고 가장 많이 부딪히는
사람들에게서 받는 치명적인 말로 인한 상처는 평생 자신의 그림자처럼 따라다니며
나아가려는 발걸음을 물고 늘어지기도 한다. 그러니 누구에게건 되도록이면 아픈 말은
삼가도록 노력하고 싶다. 불쑥불쑥 미워하는 사람에게 말로 생채기를 내고 싶어 지더라도
이를 악물고 혀를 입 안에 가두어 놓고 그럴 수도 있겠다, 마음먹어보자. 그에게 내가 모르는
어떤 상황이 있었으리라 짐작해보며 그 순간 말을 거두어 침묵으로 있게 하자. 출렁이는
마음을 잔잔한 호수처럼 가라앉히면 다시 주위에서 새소리가 들리고 뺨을 간지럽히는
부드러운 바람이 느껴질 것이다.

사소한 결심

너의 눈을 조금 더 많이 바라보기로
결심한다
너의 말에 조금 더 귀 기울이기로
마음먹는다
너에게 조금 더 웃음을 주기로
약속한다
잠 자기 전
따뜻이 안아주며
하루를 함께 해준 것에 대해
감사인사를 전할 것을 마음먹는다

사소한 오늘을
매일 특별하게 만들어 주는 너에게
작고 소소한 결심 하나하나를 엮어
꽃으로 피워내고 싶다

들꽃들 속에서 특이한 생김새 때문에 엉겅퀴는 눈에 확 띈다.
처음 엉겅퀴를 봤을 때 세 번 놀랐다.
첫 번째는 가시투성이 잎사귀에 놀랐고 다음엔 너무나 부드러운 꽃에 놀랐다.
그리고 마지막엔 그 안의 밀크씨슬이란 물질이 항암제로서도 효능이 좋고 간기능을 향상하는
효과가 탁월하다고 해서 놀랐다. 지천으로 피어 있는 꽃이었다.
귀한 자리에 피는 그런 꽃이 아니라 툭툭 던져진 길가 어디에서나 그 뿌리를 내리고
가시를 세운 채 보랏빛으로 아련히 핀 들꽃이 엉겅퀴다. 가끔 그 꽃을 보면서 연약한 부분을
감추기 위해서 혹은 지켜내기 위해서 그렇게 가시를 세우고 있는 건 아닌지 생각해 볼 때가
있었다. 꽃도 상처받고 싶지 않은 마음은 똑같은 것 같다.
그리고 사람도 때때로 상처받기 무서워 무표정과 무심함으로 자신을 지키고 싶어 한다.
지금도 그렇지만 예전의 나는 조금 더 무심한 사람이었다. 뭔가를 알게 되면 책임져야 할
것들이 늘어날 것 같고 누군가에게 손 내밀면 안아줘야 할 것 같아 두려웠다. 혼자 서 있기도
힘들었던 시기에 누군가를 책임져야 한다는 것이 힘들게만 느껴졌었다. 하지만 그날들이
지나고 나니 지난 시간 더 많이 웃어주지 못한 게 후회됐다. 조금 더 들어주지 못했던 것들이
아쉽고 안타깝게 느껴졌다. 그래서 지금은 조금 사소한 결심들을 하곤 한다. 신랑과 눈을 조금
더 맞추며 이야기하기. 아이가 이야기할 때 집중하며 호응해 주기
잠들기 전에 꼭 사랑한다고 말해주기.
그리고 나 자신을 조금 더 사랑해 주기.
작고 사소한 결심들이 더욱 아름답게 꽃 필 수 있도록.

겨울 나무

마른 나뭇가지마다
쨍한 하늘이 걸려있다
겨울은
정지해야 하는 시간

찬바람 가득한 세상에
바람을 막을
작은 손
주머니에 넣고
어찌하여
나아가지 못 하는가

뒤를 돌아보고
얼어붙은 발 밑을
눈치채는 순간

발을 잡고 있는
어제의 후회와
오늘의 게으름을
녹여내

나무 밑동에 숨겨놓은
물기를 잡듯
내일을
붙잡아야 한다

겨울나무가 그러하듯.

나무는 겨울을 준비하며 모든 것을 내려놓습니다.
아름다운 잎들과 탐스런 열매는 세상에 내어놓고 추운 날, 모든 것이 얼어붙어 정지된 그
날들을 나무 홀로 오롯이 스스로를 지켜냅니다. 서슬 퍼런 겨울 바람은 깡깡 마른 가지들을
쉼 없이 흔들어 대지만 나무는 끝내 빈가지들에 숨을 불어넣어 차가운 계절 끝에 올 봄을
기다립니다. 그렇게 겨울이 지나면 나무는 더욱 단단하고 곧은 모습으로 온 가지가지 마다
싹을 내고 꽃을 피워 세상에 자신이 존재한다는 것을 조용하고 위대하게 알릴 것입니다.

인연

우리는 모두
서로에게
이유가 된다

봄이 겨울의 이유이듯
만남과 이별도
우리의 이유로
이루어진다

당신이 행복해져야 하는 것
오늘의 내가
더 알차져야 하는 이유는

우리 서로가
각각의 이유로
연결되어 있기 때문이다

불교에서는 모든 것이 인연이라는 말이 있다. 오늘 늦잠을 자고 헐레벌떡 올라탄 버스에서 누군가에 부딪히는 것도 아주 오래 전부터 계획되어진 이야기라고 하기도 한다. 또 심리학에서는 사람은 하품처럼 물리적으로 전염되는 것 말고도 함께 연관되어진 사람들을 통해 행복이나 불행도 전염된다고 한다. 하지만 나에게 가장 영향을 많이 미치는 사람은 매일 거울을 보며 마주치는 나자신이 아닐까 싶다. 제일 먼저 마주치고 가장 마지막까지 기억할 사람은 바로 자기 자신이다. 그러니 서로의 행복을 빌어주려면 먼저 자기 자신부터 행복해져야 한다. 너무 많은 근심과 지나간 것들에 대한 후회로 잠을 설치거나 대충 아무거나 영양가 없이 한끼를 떼우는 식으로 먹는 것도 삼가야 한다. 그렇게 자신의 기분과 상태를 최상으로 하고 다른 사람을 대하면 너무 미운 것도 아주 싫은 것도 조금은 경감될지도 모른다. 그러니 먼저 거울 속의 나와 친해지고 자주 웃어주는 하루 하루가 되시길.

노란 비가 내리는 아침

진득한 햇살이
녹아내린다

뭉치뭉치
뒤엉킨 빛이
무거워지면

불덩이가 되어
후두두둑

뜨거운 햇살 비에
옥수수가
감자가
참외가
누렇게 익어간다

요즘 뉴스에서 심심치 않게 나오는 기사는 기후이상에 관한 것이다. 어느 나라는 더운 여름날 갑자기 폭설이 내리고 어떤 지역에서는 지진이 크게 나서 많은 사람들이 재난에 빠졌다. 당장 우리 나라만 해도 올 해엔 꽃피는 시기가 꿀벌보다 빨라 꿀벌들이 꿀 따는 시기를 다 놓쳐서 멸종위기설까지 나온 적도 있다. 해마다 줄어든 꿀벌의 개체 수는 전세계적으로 농작물이나 식물에 영향을 크게 미치기 때문에 인간과 동물에게도 큰 재앙이다. 어디서부터 잘 못 된 건지 모르겠지만 일단 작은 것부터 실천할 수 있는 건 해야 겠다는 생각이 드는데도 그 결심이 삼 일을 이어가지 못하니 큰일이다. 뜨거운 햇살에 식물도 나자신도 녹아버릴 것 같다. 앞으로 더 많은 날들을 살아가야 할 우리 아이들에게 뭔가 죄를 짓는 느낌도 든다. 그러니 작심삼일에 그치지 말고 오늘부터는 음식을 할 때 정량만 하면서 음식물 쓰레기부터 줄여봐야겠다.

성공의 8 할은 일단 출석하는 것이다.

-우디 엘렌

그 누구도 아닌

내 안의 너는
언제나
향기롭다

너는 내게

내 세상에서
너의 웃음은
태양이다

너의 눈빛은
달빛이다
그 빛으로 어두운 밤에
길을 잃지 않고
너에게 갈 수 있다

내가 사는 오늘에
너는 매번 피어 오르는
꽃이다

내 안의 너는
언제나
향기롭다

거울 속의 나는 내가 웃어야만 웃을 수 있습니다.
항상 나를 따라 하는 거울인 줄 알았는데 어느 날은 거울 속의 그녀가 웃어주니 내가 행복한
웃음을 짓게 되기도 합니다. 뇌는 가짜 웃음과 진짜 웃음을 구분하는 것이 아니라고 합니다.
내가 느끼는 감정은 거울 속에 비치는 얼굴 근육의 움직임에서부터 시작될 수도 있습니다.
몸이 웃으면 마음도 따라 행복해집니다. 마음이 울적할 때는 한번씩 거울 속에 비친 나를
보며 웃어주세요. 내 안에 있는 이에게 사랑한다고, 괜찮다고 위로하며 작은 웃음을
선물해주신다면 분명 거울 밖의 나도 웃을 수 있게 되지 않을까요?

제비꽃

낮은 곳에서
더 자그맣게
당신을 불러봅니다

잠시 멈춰
고개를 숙이고
허리를 굽혀
걸어온 걸음
나아갈 걸음
그 한 편을
들여디보시면

봄 한가운데
길가 어디에서나
제가 있습니다
언제나 그래왔고
앞으로도 그럴 테지요

그러니 가끔
당신의 눈을 기울여
아래를 보세요
거기, 항상
봄이 있습니다

어렸을 때 뒷마당 돌무더기 위에 보라색 꽃 무더기가 가득 피곤 했습니다. 들판 어디서나 볼
수 있는 꽃이지만 앉아서 보다 보면 한 참을 보게 되는 꽃이지요. 모든 꽃들 속에는 우주가
들어있는 듯 신비하고 아름답지만 조용히 한쪽으로 고개를 기울인 제비꽃은 어떤 사연까지
있을 것 같아 더 안쓰럽게 보게 됩니다. 하지만 마음이 바쁘면 꽃도 볼 수 없게 되지요.
지천으로 이렇게 아름답게 자리잡고 있어도 꽃이 질때까지 한번도 제대로 된 눈길을 주지
못할 때도 있습니다. 화사한 벚꽃에 가려, 우아한 목련을 칭송하기 바빠 앉은뱅이 보라 꽃은
그냥 지나치기 쉽지만 어느 해 봄이건 늦은 오후 담장에 다소곳이 앉은 제비꽃을 만나는
인연이 있으시길 바래요. 얼마나 아름다운지, 얼마나 사랑스럽게 단장을 하고 당신을
기다리는지 알면 놀라실 겁니다.

봄날은 간다

한가로운 골목 끝으로
나풀나풀
나비 날아

봄이 왔나
마중 가려고
급하게 옷을 걸치고
문지방을 넘었는데

오는 줄 알았던 봄이
두루루루룩
토독토독하며
떨어지고 있다

창 밖엔 꽃 비가 오고
미처 챙기지 못한 겉옷은
그냥 소파에 걸쳐 놓았다

지난 주말엔 아이들과 함께 산책나간 석촌호수에 사람이 꽉 차서 쓸려가듯 걷고 있었다.
해마다 푸른 호수를 끼고 꽃구름처럼 둥그렇게 봄 세상을 만드는 벚꽃을 볼 때마다 새롭게,
새로이 감탄을 하곤 한다. 그런데 만개한 꽃 사이로 하얀 눈처럼 꽃잎들이 편편히 날리고
있었다.
피는 줄도 몰랐는데 벌써 지는 건가 싶어 떨어지는 꽃잎 한 장, 한 장이 아깝기만 했다.
붙여 놓고 싶고 나무에 그대로 그려 놓고 싶지만 햇살이 너무 일찍 익어버려 억지로 붙여
놓아도 녹아 사라질 것만 같다. 살다 보면 시간만큼 공평한 것도 없고 그만큼 허투로
써버리는 것도 없는 것 같다.
꽃이 지는 것도 한순간이요 그걸 감상할 수 있는 날도 며칠이 되지 않는다.
그러니 하루, 한 시간, 일 분, 매 순간마다 최대한 이 봄을 즐길 수밖에.

외출

번잡한 마음 더듬어
작은 길 만들어 볼까

두서없는 마음씨들이
방향 없이 날아든다

정처 없이 걷다가
길을 잃어버릴까

지나온 길 위로
돌멩이 하나씩 떨어뜨려
이정표 삼아볼까

때가 되면 꽃이 피고 지고, 바람이 불어 낙엽이 떨어진 자리 다시 눈꽃으로 세상을 채우며 그렇게 시간이 간다. 그런 날들 중에 하늘을 보는 날이 며칠일까, 몸을 기울여 꽃 향기를 맡아보는 날들이 언제였을까. 언제나 마음만 바삐 서두를 뿐, 두서없이 하루가 지나가 버린다. 어제 걷던 길 그대로 되짚어 걸어온 날들은 어느 때는 편안함으로 다가오지만 어느 날 뒤돌아보면 그 익숙했던 길들이 족쇄가 되기도 한다. 땅만 보고 걸어온 어제였다면 오늘은 머리를 들어 하늘을 보자. 그것 만으로도 우리는 다른 것을 볼 수 있는 마음을 얻을 수 있다. 오늘은 바쁘게 종종거리던 걸음을 멈춰 길가에 피어 있는 꽃들의 향기도 맡아보자. 내 주위를 감싸고 있는 수많은 신비에 대해 눈과 귀를 열어보면 어느새 반복되는 일상에서 화려한 외출을 하게 되는 때가 온다.

기억창고

당신이 집 앞에서
손을 흔들며 배웅할 때
그때 돌아서며 잊었습니다

어느 저녁 붉게 물든 체념이
담벼락 끝에 걸려있는
골목 끝
모퉁이를 지날 때

돌아서며 잊었던
당신이 체취가
몹시도 그리워졌습니다

그렇게 빨리
잊어버리지 않아도
좋았을 걸 그랬습니다

눈 위에 발자국 지우듯
쏟아져 내린 폭설이
이제는 비어 버린 고향집을 채울 때

대문 앞까지 배웅 나와줄 이
아무도 없는 그 빈집의 안부가
몹시도 궁금한
그런 날입니다

지은지 50 년이 된 시골집엔 이제 사람이 살지 않는다.
자식들 먹인다고 심던 상추며 부추, 감자 고구마도 없이 마당은 따스한 햇살에 늙어가고
있다. 그 집을 채웠던 온기들이 하나, 둘, 도시로 나가서 살림을 차리고 뜨문뜨문 안부를
묻더니 이제는 덜컥거리는 대문을 여닫을 사람도 없이 조금씩 허물어져가고 있다. 엊그제
근래 가장 많은 폭설이 고향마을을 덮쳤다. 뼈만 앙상하게 남은 집이 무너질까 애타지만
전화를 걸면 받아줄 이 없으니 마음만 무너진다. 어렸을 때 마루에 앉아 먹던 포슬포슬한
감자가, 마당에 심어 놓은 봉선화와 채송화, 그리고 없는 집에 식구만 많아서 복작복작
이불이 모자랐던 구들장이 아직 거기에 남아 있어서 잠을 이룰 수가 없다. 멀리 떠나왔지만
그래서 아직 모든 것을 비우지 못했으니 조금만 더 거기서 그대로 머물러 달라고 기도하는
수밖에.

그럴수도 있지

누군가의 말이
호수의 파문처럼
마음을 일렁이게 하는
때가 있다

바람이 불면
가지는 이리저리 흔들릴지라도
나무는
휘둘리지 않는 것처럼

그렇게 자신을 세우고
가만히 기다림으로
파문을 잠자게 하고
바람을 지나가게 하는 것

그럴 수도 있다고
흘려보내는 것
그것이
우리의 자세

살면서 제일 힘든 말이 '그럴 수도 있지'라는 말일 것이다.
뉴스에서나 다른 사람들이 내게 한탄하는 이야기를 들을 때는 아주 여유롭게 그 말이 나온다.
하지만 나와 가장 밀접한 사람에게, 특히 그 사람과 의견이 안 맞을 때 이 말을 속으로
되뇌일 수 있다면 얼마나 좋을까.
'무슨 일이 있어서 그러나?''혹시 나쁜 일이 생긴 걸까?''뭔가 내가 이해못하고 있는 게
있을까?'하는 찰나의 알아챔이 '그럴 수도 있지'라는 마음의 여백까지 만들어낼 수 있다.
하지만 이 말을 숨 한 번 참고 곱씹어볼 수 있기까지 우리는 내가 하는 모든 일들이 정답일
수는 없다는 것을 먼저 인지해야 한다. 내가 중심인 세상에서 가끔은 그 위로 올라가 조망할
수 있는 시선이 필요한 것이다.
때로 바람이 분다고 급하게 문을 닫지 말고 가끔씩 커튼을 날리며 불어오는 바람을 방안에
들여 환기를 시켜볼 일이다. 그리고 심호흡을 하며 '그럴 수도 있지'라고 중얼거려보자.
세상이 한결 여유 있어 보일지도 모른다.

오렌지가 익어가는 시간

몇 번의 울음
그리고 또, 흔들림
불현듯 만나게 되는
낯선 시간들

단단히 껍질을 채우고
시디 신 시샘과
달콤했던 위로
상큼했던 첫 만남도
모두 그대로 저장해 두고

영글어야지

무거운 어깨 한 짐이
현실의 고됨이 아니라
내일의 영광을 받쳐주는
지지대가 될 수 있도록

그렇게 속을 채우며
익어가야지

살다 보면 정말 지칠 정도로 문제가 생길 때가 있다. 한고비 넘긴 것 같은데 숨을 돌릴
사이도 없이 감당하기 힘든 일이 닥친다. 어떻게 나한테만 이런 일이 생기는지 평온하게
일상을 사는 사람들을 보면 돌이라도 던지고 싶다. 나만 아프고 힘든 것 같아 누구에게건
생채기를 내고 싶어지기도 하고 길을 가다 가만히 있는 돌이라도 걷어차 분을 풀고
싶어지기도 한다. 하지만 이 세상 누구도 자신이 감당할 십자가를 다른 이에게 지울 수 없다.
지금의 이 고통이 때로는 살아가는 데 사다리가 되어 주기도 하고 급류를 만나면 징검다리가
되어 주기도 한다. 봄이면 오렌지 나무에 무수히 많은 꽃이 핀다고 해도 더러 비바람에
떨어지기도 하고, 벌레가 먹기도 하며 아이들의 실없는 장난에 애써 피운 꽃이 열매없이
지기도 한다. 하지만 가을이 오면 적당량의 꽃을 피우고 지켜낸 오렌지 나무는 더 실하고
강한 열매들을 매달 수 있게 된다. 세상에 살아있는 모든 것들은 스스로 존재하기 위해 때로
몹시 추운 밤을 이겨내야 할 때도 있는 것이다. 그러니 오늘 힘들다면 이 밤의 끝을
기약해보자. 밤이 지나면 아침은 반드시 온다.

성공하기까지는 항상 실패를 거친다

-미키 루니

나 자신이 되기 위해

살아가는 동안
다 함께
춤을 추어요

그래, 이 맛이야

햇살은
사르르 녹아내리는
딸기맛 샤베트

그래, 이 맛이야

여기저기
땅을 뚫고 나오는 새싹을
깨우는 박하맛 바람

그래, 이 맛이야

손 끝이 간질간질
마음은 술렁술렁
발끝은 사뿐사뿐

그래
설레는 마음

봄이야

사람마다 좋아하는 맛이 다를 것이다.
나는 단백하고 구수한 맛을 좋아한다. 하지만 어떤 이는 부드럽고 달콤한 것을, 또 다른 이는
자극적이고 톡 쏘는 맛에 기분이 좋아질 수도 있다. 모두가 같은 것을 바라고 좋아하지 않는
것이 불편할 수도 있지만 그렇기에 우리는 더 많은 선택을 할 수 있고 더 많은 경험을 할 수
있게 되는지도 모른다. 내가 느끼는 된장찌개의 구수한 맛이 다른 이에게는 참을 수 없는
구린내로 느껴질 수도 있고 맵고 짠 마라탕의 어설픈 매운 맛이 누군가에게는 오감을
자극하는 짜릿한 설렘으로 다가올 수도 있다. 그러니 서로가 좋아하는 것을 즐기면 그뿐,
다른 이들이 나와 같지 않다고 투덜대거나 틀린 사람으로 보면 해답이 없다. 좋아하는 것을
느끼는 것은 사지선다의 정답을 찾는 일이 아니므로 더욱 그렇다.

그대의 말이 그대의 눈을 속이지 못하게

보이는 것들을
입술의 말로 가두지 않기를

보이지 않는 것들이
그 좁은 속에 갇히게 되어
나는 끝내
그 의미를 모르게 될 수도 있으니
침묵으로
한번
고요함으로
또 한 번
깊이 바라보고 바라보다
마침내 세상 모든 것에
짧은 탄성 지으면

차라리 말에 가둔 세상보다
더 넓은 곳을 보게 되리니

"넌 왜 이렇게 말을 많이 하니?"
오십이 된 지금도 가끔씩 생각나는 이 말은 내가 고등학교 때 들었던 말이다.
17살 때부터 혼자 자취를 하고 있던 나는 방 하나에 밥솥 하나, 앉은뱅이 책상 하나가
살림살이 전부인 방에서 외로울 땐 책을 읽었었다. 책을 읽으면 그것에 대해 같이 나누고
이야기하고 싶었지만 그걸 함께 해줄 친구는 별로 없었다. 그래서 누군가 고민을
이야기하거나 힘든 상황을 이야기하면 책에서 읽었던 것들을 이리저리 나름 해석해서
주절주절 이야기했던 것 같다. 지금 생각하면 낯 뜨거운 일이다. 알고 있다고 착각했을 뿐
17살의 나는 사람에 대해 그리 깊은 경험치가 없었기에 뜬구름 잡는 이야기를 두서없이
했을 가능성이 많기 때문이다. 그렇게 내뱉은 말들 중에 진짜 내가 알고 있는 단어나
실천하며 살아온 문구가 얼마나 있을까. 오히려 나에게서 나온 말들은 내 행동의 경계가 되어
나를 한정 짓게 했을 수도 있었겠다는 생각이 든다. 그래서 30년이 지난 지금은 말수가 적냐
하면 17살 때의 나보다는 적지만 어떨 때는 더 교묘하게 날카롭고, 어느때는 에둘러
피해가는 꼼수만 늘었다는 생각이 들 뿐이다. 나이 들수록 말은 줄이고 지갑은 열라는 말이
진리라는 것을 아는데도 자꾸 청개구리 마냥 거꾸로 가려는 심성을 탓할 뿐이다.

봄 스토리

어쩐지 겨울은 색을 잃어버린 줄도 모르고
잿빛 그림자처럼 굳어 있었다
창문은 굳게 닫혔고
드나드는 이 없는
대문 간
처마 끝에서는 날 선 고드름만
햇살에 타고 있다

그러다
바람
연한 노란빛 그 바람이
뭉근하게 뜨뜻한 입김이
코 끝에 살짝 걸치면

색을 잃은 얼굴 위로
생기가 돈다

봄은 그렇게
코끝에서 온다

봄은 자연의 언어로 말하자면 "파티하자"라는 뜻이다.
-                         로빈 윌리암스

굳어 있던, 멈춰 있던 모든 것들이 일순간에 깨어나는 순간이 봄이다. 어떻게 그 겨울을
이렇게 조그만 씨앗 하나로 견뎌낼 수 있었는지, 아니 이렇게 작고 보잘 것 없었기에 더욱
찬란하게 피어나 세상에 자신의 존재를 빛나게 할 수 있었는지도 모르겠다. 갇혀 있던 마음을
풀어내어 생명의 물을 들이키는 봄. 코끝으로 스치는 미세하고 따스한 숨결에 세포 하나
하나가 다시 깨어나 기지게를 편다. 그런 봄이 겨울 끝에 있다는 것은 신비로운 일이다. 모든
죽은 것들을 다시 새롭게 태어나게 할 수 있는 봄은 부활의 계절이다.
그러니 이 봄, 당신의 인생을 다시 활짝 피어내시길.

당신의 가슴이 시키는 대로

모든 소리가
일시에 소거되는
때가 있다

오직
이 시간
온통
나

나를 끌어내리는
중력도 없고
흔드는 바람도 없이
초침처럼 변해가는 시간도
그 자리, 그대로
나를 채우는 시간

그 시간 안에서
우리는 진정한
삶의 방향을 찾을 수 있다

김충원 교수의 "스케치 쉽게 하기"책에 보면 이런 말이 나온다.
"스케치는 명상입니다.
그중에서도 집중명상에 속하죠. 이는 몸과 마음을 최대한 이완시키고, 의식은 깨어 있는
상태를 유지하며 일체의 잡념에 반응하지 않는 것입니다."
그림을 그리면서 제일 많이 느끼는 감정도 이것입니다.
모든 소리를 소거해 버리는 시간.
오직 나와 내가 보는 사물만이 사각사각 형태를 잡아가고 선이 선을 만나 면을 만들고 다시
선들이 쌓여 명암을 만들고 나면 드디어 내가 보았던 사물을 완성시킬 수 있는 물아의 세계.
그것이 무엇이든 내 안에서 끄집어내야 하는 작업인 거죠. 그림을 그리는 내내 걱정도 없고
잡념도 없습니다.
나를 믿고 실수에 관대해져야 합니다.
그것이 그림이 주는 힐링 효과라고 생각합니다.
가슴 뛰는 삶을 산다는 건 건강한 자아를 들여다볼 줄 알고 스스로를 믿음으로
자신의 삶을 이끌고 가는데 있다는 생각을 하곤 합니다.

다 함께 춤을 추어요

바람이 불면 부는 대로
비가 내리면 흠뻑 젖어서
다 함께 춤을 추어요

밤에는 짙은 우수가 깃든
재즈 선율에 맞춰서
한낮에는 몸이 저절로
둠칫 둠칫 어깨가 들썩이는
펑키 음악으로
다 함께 춤을 추어요

우울한 날은 커튼을 걷고
바람이 들이치는 곳에서
기쁜 날엔
사람 많은 길거리 모퉁이에서
그렇게 춤을 추어요

누군가와 선율을 맞추기도 하고
음악에 취해 흐느적거리며
혼잣말처럼
두서없는 춤을 추더라도

살아가는 동안
다 함께 춤을 추어요

행복은 마음에 있는 것이 아니라 몸에 있다.
                    -서울대 심리학과 최인철 교수
혹시 춤을 춰본 적이 있으신가요?
유튜브 몇 만 조회가 나오는 멋들어진 춤이 아니라 혼자서 내 멋대로, 내 맘대로 그야 말로
의식의 흐름대로 엉덩이를 씰룩여 본 적이 언제 인가요? 서울대 심리학과 최인철 교수님은
인간이 추구하는 최고의 선인 행복에 대해 마음이 아니라 몸으로 얻어야 한다는 강의를 한
적이 있습니다. 얼굴이 먼저 웃으면 마음은 따라 웃는다는 말처럼 몸은 이 생에서 공짜로
받은 첫번째 선물입니다. 만일 내 영혼이 강아지의 옷을 입었다면, 혹은 돼지의 가죽을 쓰게
되었더라면 오늘 불어오는 바람에 취해 살랑 살랑 어깨춤을 추지는 못했겠지요. 몸을
가졌다는 것은 이 생에서 받을 행복의 그릇을 이미 받았다는 것이나 다름없습니다. 그러니
아름다운 당신의 춤을 즐기세요. 생각보다 오늘이라는 시간은 금방 지나가 버린답니다.

너는 꽃

너의 웃음은
온통 따뜻한 노랑

마른 가지에
물길을 끌어오는
청량한 초록

떼구루루 굴러가는
웃음소리마다
세상도 간질간질
웃음을 터트린다

모든 꽃 중에
가장 빛나는
너라는 꽃

어렸을 때 4km의 비포장도로를 걸어가 학교를 다녔던 저는 그 길 중간중간에 참 많은
상상을 했었습니다.
"저 산너머에도 사람이 살까?"
"저 끝에 가면 뭐가 있을까?"
"내가 못 보는 곳에서 있던 다른 사람들은 어떻게 살다가 다시 내 앞에 나타날까?"
세상은 오로지 나를 중심으로 생각됐습니다.
내가 모르는 세상, 내가 모르는 곳, 내가 모르는 사람들.
그러다 조금씩 나이가 들면서 나를 다른 사람에게 내어주곤 했습니다.
내 시간, 내가 할 수 있는 일, 내가 해야만 하는 일들.
그러면서 질문도 바뀌어 갔죠.
"저 사람은 나를 어떻게 생각할까?"
"세상에서 나는 얼마나 인정받고 있지?"
"세상은 왜 이리 나를 인정해주지 않지?"
그리고 이제 오십 고개를 넘으니 다시 질문을 바꿔야 하는 시기가 왔음을 느낍니다.
"나는 무엇을 원하지?"
"나는 오늘 얼마나 웃었지?"
"감사한 일들에 감사하다고 말하며 살고 있나?"
내가 웃으면 세상이 웃는다는 걸 알게 되는 나이. 세상이 웃어주는 게 아니라 내가 세상을
향해 웃는 거라는 걸 알아가는 오십 살이 되고 있습니다.

파도

파도는 들어서고 나서며
땅을 변화시킵니다

볼록한 것과 오목한 것
가느다란 것과 굵은 것
짧은 것과 긴 것들은
서로 왕래하며

길을 만들고
인연을 만들어내며
운명을 순환합니다

좋은 것들 가운데
나쁜 것들 가운데
그 반대의 것들도 있기에

조용히 파도를 바라보는
그런 깊은 눈이
우리에겐 필요합니다

**"모든 부정적인 것은 긍정적인 것이다.
새로운 걸음을 내딛기 전에 아무런 걱정이 들지 않는다면, 그건 그 걸음이 너무 작다는
증거다."**   - 래퍼 50 센트

뒷골목 깡패였던 50 센트는 마약을 팔며 살다가 어느 날 문득 이렇게 사는 게 재미없다는
생각에 가수가 되기로 한다. 유명 기획사와 계약을 하고 앨범 발매가 얼마 안 남았을 때
살인청부업자에게 9 개의 총알을 맞고 죽을 뻔하다 극적으로 살아난다. 그러나 총알 중
하나가 턱을 뚫고 들어가 혀에 박히면서 입을 조금만 움직여도 극심한 통증을 느끼게 된다.
하지만 다시 예전 뒷골목의 삶으로 돌아가기 싫었던 그는 쇳소리가 나는 음색을 전화위복의
기회로 삼는다.
살아 가다 보면 인생의 파도는 예고없이 수없이 밀려온다. 작게 올 때도 있지만 쓰나미처럼
몰려와 모든 것을 앗아가 버릴 때도 있다. 어떤 이는 쓰러져버릴 것이고 또 다른 이는 폐허
속에서 다시 일어서 더 굳건하게 자신의 삶을 세우기도 한다. 그럴 때 나쁜 것은 좋은 것을
만드는 훌륭한 재료가 될 수 있다는 말을 기억하자. 모든 생명을 다시 깨우고 세우는 봄은
반드시 겨울이 지나야 올 수 있다.

영광

어제의 수많은 생각들은
오늘의 한 걸음만
못하다

불가능할 것 같은
모든 것들은
수만 가지의 상념에
불과 하리니

그대가 견디는
한 줄기 바람이
기어코 비를 몰고 오고
대지를 적신 후
잠들어 있는 모든 만물을
소생케 하리라

버티는 데 성공하는 것, 이것이 성공의 정의이고, 진정한 승리다.
  -보도 섀퍼의 멘탈의 연금술사 중에서

언젠가 '존버'라는 말이 유행한 적이 있다. 네이버 국어 사전을 보면 '엄청나게 버티다'라고
해석된다. 정말 존버 정신으로 성공할 수 있을까? 고등학교때 손에 놓지 않고 봤던 만화책
중에 드래곤 볼이라는 책이 있다. 주인공 손오공은 셀이라는 인조인간을 물리치려고
초사이언인이 되어야 했다. 남은 시간은 열흘. '시간과 정신의 방'으로 가서 수련을 하던
손오공은 불과 하루만에 방을 나오고 만다. 그가 초사이언인이 못 될 까봐 걱정하는
사람들에게 손오공은 이렇게 말한다.
"더 이상 몸을 무리하게 단련시켜봤자 도움이 안되. 그런 것은 수련이 아니야. 나는 남은 9 일
동안 3 일 쉬고,3 일 수련하고,3 일 쉬면서 셀을 맞이할거야. 우리의 훈련목표는 초사이언인
상태를 마음 편한 상태에서도 계속 유지하는 것이야."
보도 섀퍼와 손오공의 말처럼 우리의 성공이라는 것은 시간을 버티는 것이 필요하다. 겉으로
아무 일도 일어나지 않는, 아니 오히려 자꾸 걸려 넘어지고 부딪히는 오늘이라는 시간에도
성공을 품고 있어야 한다. 잔잔하다 못해 지루한 일상에서도 그 마음을 유지하고 걸음을
늦추지 않는 것이 어쩌면 진정한 존버 정신이 아닐까.

잉어도

거센 바람이 불어와
자랑스럽던 비늘들을 떨어뜨리고
아픈 물살에 살갗이 헤져도
나아가리라

붉은 태양이
집어삼킨 대지
한 마리의 용이 되어 마른 땅을 적시고
꿀 같은 강물을
다시 흐르게 하리라

그리하여 내 아픈 살점들은
용의 비늘이 되고
눈은 번개를 일으켜
죽은 나무를 태우고
나의 숨은 바람이 되어
비를 내리리라

싹이 난 것들은
왕성히 자라고
꽃을 피운 것들은
열매를 맺히게 하리

오늘
이 좁은 문을 지나서.

1962 년, 케네디 대통령의 이 한마디로 세상은 바뀌었다.
"우리는 이번 1960 년대가 끝나기 전에 인간을 달로 보내기로 했습니다."
1962 년이라면 아직 우리나라 농촌에는 초가지붕이 대부분이었을 때다. '문샷 프로젝트'는
사람들에게 너무나 터무니없고 불가능해 보였었다. 하지만 세상을 바꾸고 싶어하는
낙관론자들의 상상력과 기술이 만나 1960 년대가 끝나기 전 1969 년 7 월에 아폴로 11 호가
달에 착륙하면서 그 말은 현실이 되었다. 동물계에서 약한 축에 속했던 인간이 말을 하게
되면서 강한 동물들을 제치고 도시를 건설하고 사회를 이룬 것처럼 우리의 말에는 강력한
힘이 있다. 그러니 우리의 목표가 클수록 그 하나의 목표를 말하고 긍정적으로 나아가라.
모든 부정적인 것들 사이를 유유히 헤쳐 나아가다 보면 당신이 원하는 곳에 도달할 수 있을
것이다.

우리는 오직 사랑함으로써
사랑을 배울 수 있다
아이리스 머독

감사합니다

엄마
그 수많은 시간
어떻게 그 세월을 버티셨습니까
곁에 계셨을 때도
사랑하는 하나님과 함께 하시는 지금도
고맙고 감사하며
언제나
사랑합니다

초대

마당 가득 찬 바람에
마르고 비틀어진
철 지난 낡은 낙엽들을
쓸어내고

겨울 한낮 포근한 햇살이 드는 곳에
아직은 이른 장미를
화병에 꽂는다

거실이 향긋한 장미향으로 데워지면
산상 깊숙이 모셔 둔
예쁜 그릇 꺼내고
함께 마실 차도 준비하고

한껏 차린 깨끗한 옷을 입고
당신과 마주한다

겨울길을 걸어
그대가 들어오면
봄도 함께
어깨의 눈을 털고 들어 온다

겨울 속 봄과 함께
당신과 나의 밤이
시작된다

돌아가신 엄마를 생각하면 가장 먼저 떠오르는 장면이 있다. 국민학교 시절 모내기가 한참인 점심때 새벽부터 남의 일을 가신 엄마는 밥도 못 먹고 신작로를 뛰듯이 걸어가고 계셨다. 아픈 언니가 혼자 남은 집에서 밥도 못 먹고 있을 걸 생각해서 자신은 아침내내 허리도 못 펴고 일하시곤 언니에게 밥을 먹이러 가는 길이었다. 그때 멀리서 그런 엄마의 모습을 보고 혼자서 엉엉 울었었다. 바쁘게 걸으시는 모습이 너무 안쓰럽고 슬펐기 때문이다. 좋은 기억들, 감사한 기억들이 많이 있지만 엄마가 돌아가신지 한참이 지난 어느 새벽에도 불현듯 그때의 엄마가 선명하게 떠오르곤 한다. 엄마가 되니 그때 엄마의 절망과 고뇌를 더 깊이 느낄 수 있었다. 늦었지만 너무 애쓰셨다고 말씀드리고 싶다. 모진 세월 항상 웃음으로 키워 주셔서 감사하다고 다시 한번 말씀드리고 싶다. 그때 주신 당신의 사랑으로 오십이 넘은 지금도 꿋꿋하게 버티며 산다고 말씀드리고 싶다.